J-Spa 333.95 B
Banqueri, Eduardo
La biosfera /
2431898

NY PUBLIC LIBRARY   THE BRANCH LIBRARIES

JUN 05 2007

WITHDRAWN
may be sold for the benefit of
The Branch Libraries of The New York Public Library
or donated to other public service organizations.

D1265847

21241 2726
BER

NUESTRO PLANETA

ENRICO FERMI CULTURAL CENTER
610 EAST 186th STREET
BRONX, NEW YORK 10458

LA BIOSFERA

Parramón

Proyecto y realización
Parramón Ediciones, S.A.

Dirección editorial
Lluís Borràs

Ayudante de edición
Cristina Vilella

Textos
Eduardo Banqueri

Diseño gráfico y maquetación
Estudi Toni Inglés

Ilustraciones
Estudio Marcel Socías

Dirección de producción
Rafael Marfil

Producción
Manel Sánchez

Segunda edición: noviembre 2005

Nuestro planeta
La biosfera
ISBN: 84-342-2694-4

Depósito legal: B-48.391-2005

Impreso en España
© Parramón Ediciones, S.A. – 2005
Ronda de Sant Pere, 5, 4ª planta
08010 Barcelona (España)
Empresa del Grupo Editorial Norma

www.parramon.com

Prohibida la reproducción total o parcial de esta obra mediante cualquier recurso o procedimiento, comprendidos la impresión, la reprografía, el microfilm, el tratamiento informático, o cualquier otro sistema, sin permiso escrito de la editorial.

SUMARIO

UN PLANETA CON VIDA

Los seres vivos no pueden estudiarse como entes separados unos de otros y del medio en el que viven. Por eso, al hacer un volumen sobre la biosfera hemos tenido en cuenta este aspecto, lo que en definitiva ha significado plantear los diferentes temas desde un punto de vista ecológico.

Esta obra visual intenta explicar mediante ilustraciones sencillas los aspectos fundamentales de la vida: la cadena alimentaria, los diferentes hábitats naturales y la influencia que el ser humano ha tenido en ellos (la contaminación y la destrucción de los ecosistemas). Hemos querido ampliar este último aspecto tratando en las últimas páginas dos temas muy candentes en la actualidad: las especies en peligro de extinción y el futuro del planeta.

El conocimiento de la naturaleza y de los cuidados que ella requiere debería ser un aspecto primordial en el sistema educativo actual en todos los niveles y también formar parte de la educación que un joven recibe en el ámbito familiar. Por ello consideramos que este libro ayudará a nuestros jóvenes lectores y a sus padres a comprender mejor la vida, a ser conscientes del daño que provoca el hombre en el medio ambiente y a reflexionar sobre los cambios de actitudes que deberíamos emprender para que las próximas generaciones no hereden un planeta peor al que nosotros hemos recibido.

EL HOGAR DE LOS ANIMALES Y LAS PLANTAS

La Tierra es el único astro del sistema solar donde hay vida. La biosfera de nuestro planeta abarca desde la capa más baja de la atmósfera hasta el fondo de los océanos.

UN MEDIO APTO PARA LA VIDA

La biosfera es la parte de la Tierra y de la atmósfera en la que habitan todos los seres vivos. Es una zona relativamente delgada que está formada por los océanos, lagos y ríos, la tierra firme y la parte inferior de la atmósfera, que es capaz de mantener la vida en el planeta. Se extiende desde las profundidades de los océanos hasta unos 8 a 10 kilómetros sobre el nivel del mar y unos pocos metros por debajo del nivel del suelo, hasta donde penetran las raíces de las plantas.

El medio en que se desarrolla la vida, esto es, la biosfera, abarca pues la troposfera, la hidrosfera (compuesta por mares, océanos y aguas continentales), y la parte más externa de la corteza terrestre (la litosfera).

En el mar, la mayor parte de los organismos acuáticos se concentran en profundidades inferiores a 200 metros, aunque la vida se extiende incluso hasta las grandes fosas marinas, donde se han observado peces y moluscos a 6.000 metros de profundidad. Las investigaciones no rebasan esa distancia por las dificultades tecnológicas para superarla, pero probablemente desvelarán que la vida no se limita sólo a las profundidades inferiores a las observadas.

LA ECOLOGÍA

La ecología es la ciencia que estudia las relaciones entre los organismos y su medio ambiente físico y biológico. El medio ambiente físico incluye la luz y el calor o radiación solar, la humedad, el viento, el oxígeno, el dióxido de carbono, los nutrientes del suelo, las rocas y los minerales, el agua y la atmósfera. El medio ambiente biológico está formado por los organismos vivos, principalmente plantas y animales.

El hombre primitivo vivía en perfecta armonía con la naturaleza y el impacto de sus actividades sobre el medio ambiente era mínimo.

Los organismos viven en poblaciones que se estructuran en comunidades. Un ecosistema incluye, además de la comunidad, el medio físico en el que se desarrolla la vida.

Los consumidores son organismos que no pueden sintetizar compuestos orgánicos, y por esa razón se alimentan de otros seres vivos.

■ organismos
■ población
■ comunidad
■ ecosistema

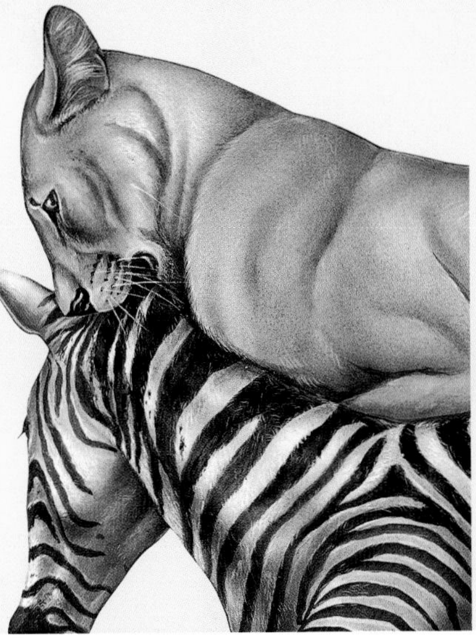

Esta ciencia ha alcanzado enorme trascendencia en los últimos años debido al creciente interés del hombre por el ambiente en el que vive y a la toma de conciencia sobre los problemas que afectan a nuestro planeta y sus posibles soluciones. Pero estos problemas no son nuevos ni la ecología es sólo una moda pasajera. Ya en el período Neolítico, diez mil años atrás, los hombres talaban bosques para obtener madera y abrir claros donde sembrar los granos de los que se alimentaban. A consecuencia de este mal uso resultaron alterados los ecosistemas en los que muchas comunidades vivían, aunque sus consecuencias eran ridículas si lo comparamos con los efectos causados hoy día en la naturaleza por las actividades humanas.

Debido a los diferentes enfoques necesarios para estudiar a los organismos en su medio ambiente natural, la ecología se sirve de disciplinas como la climatología, la hidrología, la física, la química, la geología y la edafología. Y para conocer las relaciones entre los organismos, la ecología recurre a ciencias tan dispares como la etología (ciencia que estudia el comportamiento animal), la taxonomía, la fisiología y las matemáticas.

BIOTOPO Y BIOCENOSIS: LOS ECOSISTEMAS

En la naturaleza los individuos de una misma especie se agrupan en núcleos de poblaciones, cuyos individuos ocupan una misma área y se relacionan entre sí. Las poblaciones no se presentan aisladas en un ambiente; al contrario, la mayoría interactúa entre sí y constituye lo que se denomina comunidades. Al conjunto de comunidades de organismos de distintas especies o poblaciones, que se establece en unas condiciones ecológicas dadas y que se mantiene en un estado de equilibrio dinámico, se le denomina biocenosis. Este término engloba, pues, el conjunto de las comunidades vegetales (fitocenosis), animales (zoocenosis) y de microorganismos (microbiocenosis), que se desarrollan en un biotopo determinado.

En sentido literal el término "biotopo" significa ambiente de vida y se aplica al espacio físico, natural y limitado, en el cual vive una biocenosis (comunidad de organismos). Las características de una población están determinadas no sólo por las relaciones de sus individuos sino también por las relaciones que mantienen éstos con el biotopo, es decir, con el medio físico en el que viven.

La selva, o bosque húmedo tropical, es uno de los biotopos con mayor diversidad biológica de la Tierra.

Las actividades humanas vierten diariamente a la naturaleza gran cantidad de contaminantes que afectan a los hábitats de los seres vivos y acaban por destruirlos.

El ecosistema es una unidad delimitada espacial y temporalmente, integrada por un lado por los organismos vivos y el medio en que éstos se desarrollan, y por otro, por las interacciones de los organismos entre sí y con el medio. En otras palabras, el ecosistema es una unidad formada por factores bióticos (o integrantes vivos como los vegetales y los animales) y abióticos (componentes que carecen de vida, como por ejemplo clima, temperatura, sustancias químicas presentes, agua, minerales, etc.), en la que existen interacciones vitales, fluye la energía y circula la materia. Es decir, el ecosistema es el conjunto de biotopo y biocenosis.

LA CADENA ALIMENTARIA

En el funcionamiento de los ecosistemas no hay desperdicio alguno: todos los organismos, muertos o vivos, son fuente potencial de alimento para otros seres. Así, un insecto se alimenta de una hoja; un ave come el insecto y es, a la vez, devorada por un ave rapaz. Al morir, estos organismos son consumidos por los descomponedores que los transformarán en sustancias inorgánicas, que de nuevo pasarán a los vegetales y así comenzará un nuevo ciclo en la naturaleza. Estas relaciones entre los distintos individuos de un ecosistema constituyen la cadena alimentaria.

Los productores o autótrofos son los organismos vivos que fabrican su propio alimento orgánico, es decir, los vegetales verdes con clorofila, que realizan fotosíntesis. Por medio de este proceso, las sustancias minerales se transforman en compuestos orgánicos, aprovechables por todas las formas vivas. Otros productores, como los quimiosintetizadores (entre los que se cuentan ciertas bacterias), elaboran sus compuestos orgánicos a partir de sustancias inorgánicas que hallan en el exterior, sin necesidad de luz solar.

Los consumidores, también llamados heterótrofos, son organismos que no pueden sintetizar compuestos orgánicos, y por esa razón se alimentan de otros seres vivos. Según los nutrientes que utilizan y el lugar que ocupan dentro de la cadena alimentaria, los consumidores se clasifican en cuatro grupos: consumidores primarios o herbívoros, secundarios o carnívoros, terciarios o supercarnívoros y descomponedores.

Incluso en sitios tan hostiles como el desierto encontramos vida. Los animales y las plantas de este biotopo han adquirido la capacidad de vivir con poca agua y de soportar las altas temperaturas reinantes en esa zona.

Los herbívoros se alimentan directamente de vegetales. Los consumidores secundarios o carnívoros aprovechan la materia orgánica producida por su presa. Entre los consumidores terciarios o supercarnívoros se hallan los necrófagos o carroñeros, que se alimentan de cadáveres.

Los descomponedores son las bacterias y los hongos encargados de consumir los últimos restos orgánicos de productores y consumidores muertos. Su función es esencial, pues convierten la materia muerta en moléculas inorgánicas simples. Ese material será absorbido otra vez por los productores, y reciclado en la producción de materia orgánica. De esa forma se reanuda el ciclo cerrado de la materia, estrechamente vinculado con el flujo de energía.

FUNCIONAMIENTO DEL ECOSISTEMA

El ecosistema funciona como una comunidad prácticamente cerrada, sin influencias externas. La energía lumínica procedente del Sol es captada por los productores primarios (autótrofos), quienes la transforman en materia orgánica, punto de partida de la cadena alimentaria (o red trófica).

El ecosistema se equilibra cuando la producción de materia orgánica (biomasa) se mantiene estable (es el punto que se denomina clímax).

En principio, cuando sólo hay organismos autótrofos, la biomasa aumenta muy rápidamente, hasta que aparecen los primeros herbívoros, que hacen disminuir la velocidad de producción de la misma; la llegada de carnívoros equilibra el consumo de materia orgánica al reducir el número de herbívoros. Por último, los descomponedores, presentes desde el inicio, cierran la cadena alimentaria.

La caza furtiva, el comercio ilegal y la ocupación de su hábitat por los humanos ha hecho que el oso panda sea uno de los muchos seres vivos en peligro de extinción.

LOS HÁBITATS DE LOS SERES VIVOS

Un bioma es una región de la Tierra que posee su propio clima y unas formas de vida peculiares que las distinguen de otras regiones. La cantidad de lluvia, la temperatura y la luz solar hacen que cada región tenga unas características propias. Los biomas se nombran por el tipo dominante de vegetación; sin embargo, el complejo biológico designado bajo este término engloba también al conjunto de organismos que se han adaptado a esa zona.

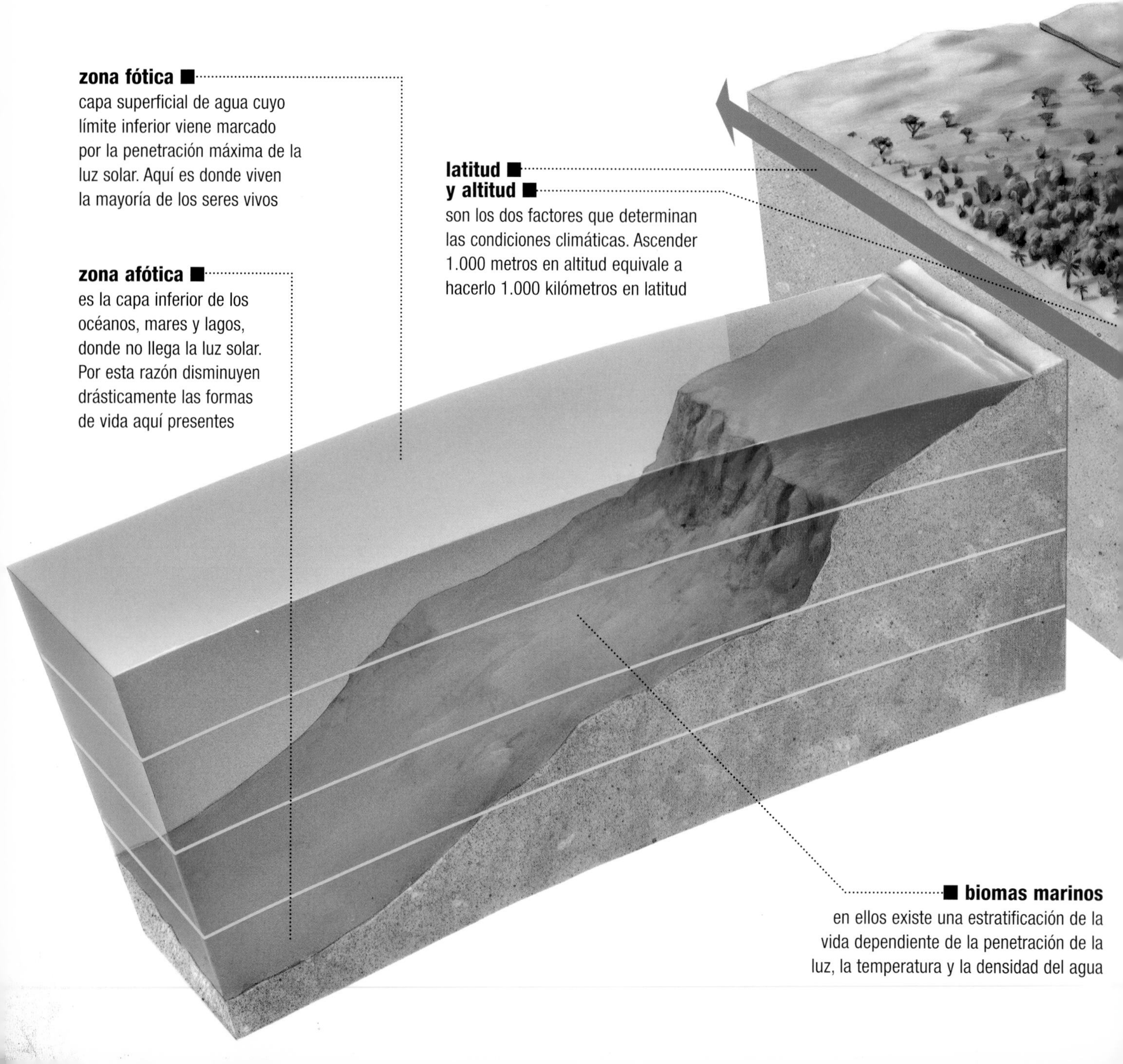
zona fótica
capa superficial de agua cuyo límite inferior viene marcado por la penetración máxima de la luz solar. Aquí es donde viven la mayoría de los seres vivos
zona afótica
es la capa inferior de los océanos, mares y lagos, donde no llega la luz solar. Por esta razón disminuyen drásticamente las formas de vida aquí presentes
latitud
y altitud
son los dos factores que determinan las condiciones climáticas. Ascender 1.000 metros en altitud equivale a hacerlo 1.000 kilómetros en latitud
biomas marinos
en ellos existe una estratificación de la vida dependiente de la penetración de la luz, la temperatura y la densidad del agua

■ zona subártica
o alpina. El bioma característico es la taiga. Se trata de una formación vegetal constituida por bosques de coníferas (abetos)

■ zona templada
de menor a mayor precipitación encontramos los siguientes biomas: desierto, chaparral, pradera, bosques caducifolios y bosques de coníferas

■ zona ártica
o polar. El bioma característico es la tundra. Carece de árboles y predominan cárices (carrizos), gramíneas, musgos y líquenes, y algunos arbustos enanos

■ zona tropical
de menor a mayor precipitación hallamos los siguientes biomas: desierto, sabana y selva

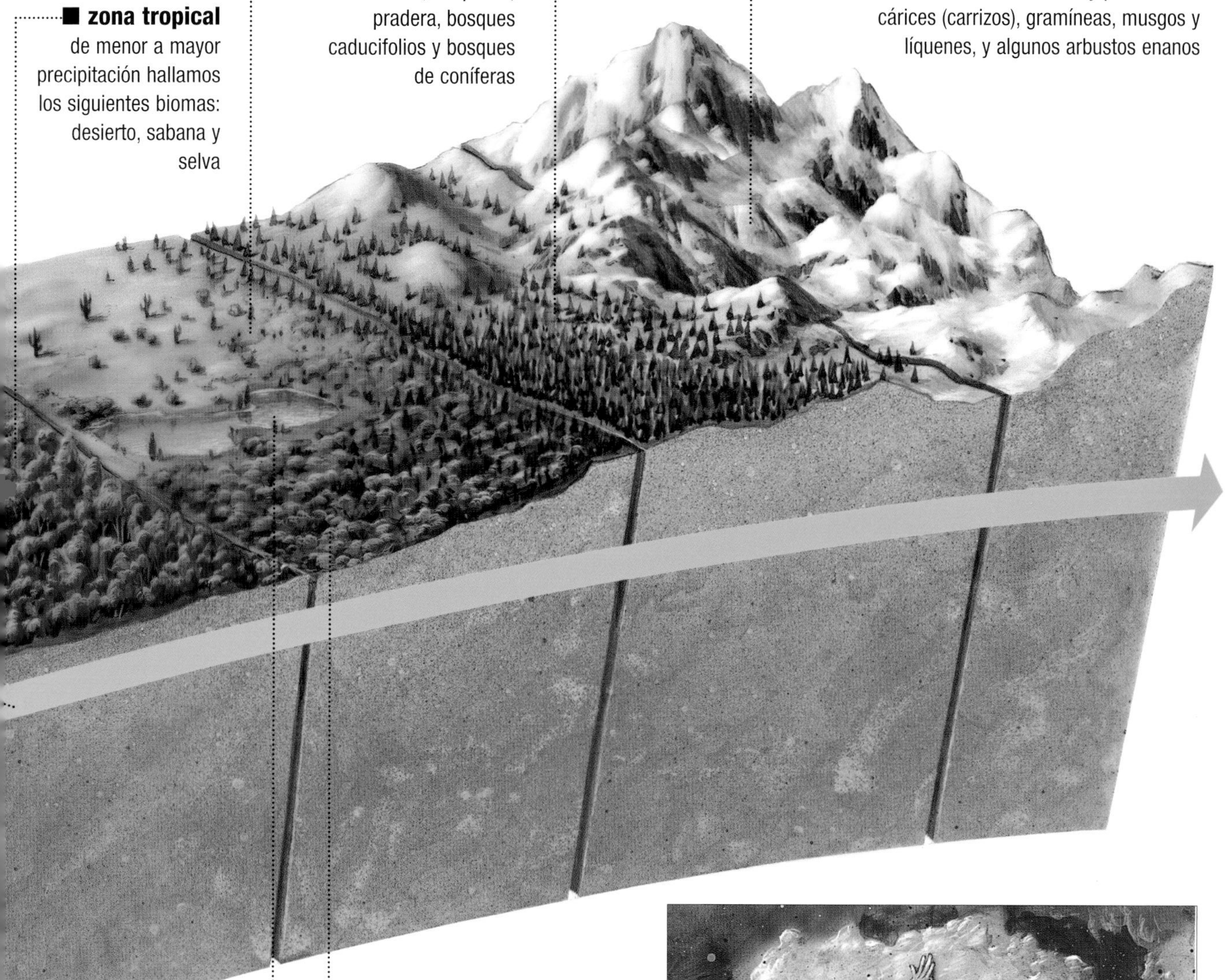

■ biomas terrestres
están determinados principalmente por la temperatura y la precipitación de la zona, lo cual depende de la altitud y de la latitud

biomas acuáticos ■
de agua dulce como los ríos, charcas, pantanos, marismas y deltas; son zonas de gran biodiversidad y muy sensibles a la acción del hombre

La adaptación al medio

A lo largo de millones de años los seres vivos han evolucionado para adaptarse al medio en el que viven. Los que no lo hacen no sobreviven y mueren, extinguiéndose la especie.

LOS FACTORES ECOLÓGICOS

Son los elementos del medio que actúan directamente sobre los seres vivos. El tiempo atmosférico (temperatura, luz, humedad, precipitación) es el factor que más influencia tiene, aunque en el medio acuático también hay que tener muy en cuenta la concentración de oxígeno y la salinidad.

EN LA NATURALEZA TODO SE APROVECHA

La vida necesita un aporte continuo de energía que llega a la Tierra desde el Sol y pasa de unos organismos a otros a través de la cadena alimentaria (trófica). Ésta comienza en las plantas (productores) que captan la energía luminosa con su actividad fotosintética y la convierten en energía química. Las plantas son devoradas por los consumidores primarios (herbívoros). Pero los herbívoros, a su vez, suelen ser presa de los carnívoros (depredadores), que son consumidores secundarios.

vegetales ■ son los organismos productores. Construyen su propia materia orgánica a partir de sustancias inorgánicas en el proceso de la fotosíntesis

ser humano ■ es un consumidor de 4º orden, ya que se alimenta de todo tipo de seres vivos, incluso de otros depredadores

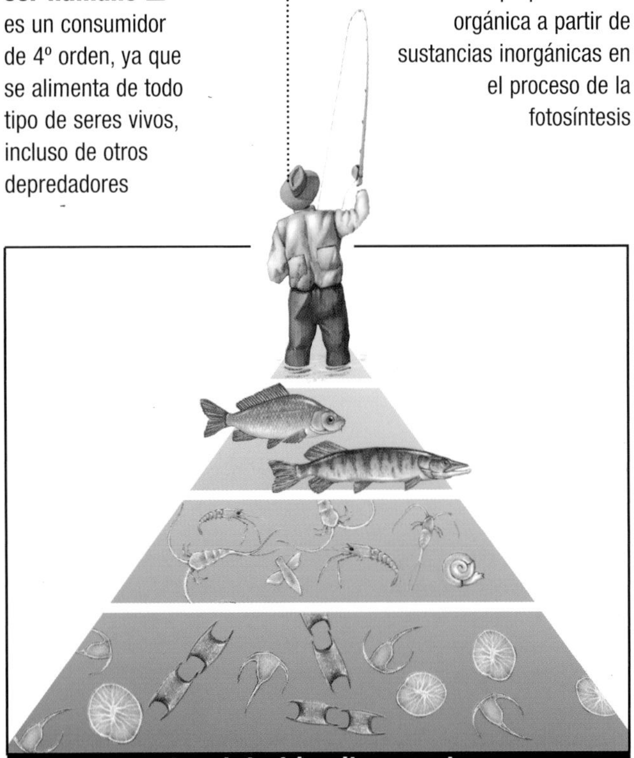

La pirámide alimentaria

Representa las relaciones tróficas entre productores y consumidores. En el piso inferior bajo se sitúan los productores (fitoplancton) por encima los consumidores de primer orden (zooplancton), después los de segundo orden (carnívoros) y así sucesivamente.

sales minerales ■ procedentes del suelo y disueltas en el agua, son captadas por las plantas y algas para ser transformadas en materia orgánica mediante la fotosíntesis

fitoplancton ■ organismos productores microscópicos. Son vegetales que flotan en los ecosistemas acuáticos

energía solar
la luz procedente del Sol es captada por los organismos fotosintéticos para elaborar su propia materia orgánica a partir de sustancias inorgánicas

aves rapaces
consumidores de 3er orden. Se alimentan principalmente de peces y roedores (grandes y pequeños), por lo que se les considera superdepredadores

UN EQUILIBRIO MUY FRÁGIL

En muchas ocasiones el número de productores de una cadena trófica se ve disminuido por razones naturales (epidemias) o por culpa del hombre (contaminación). Esto provoca una falta de alimento que afecta a los pisos superiores, cuya población también disminuye.

peces pequeños
pueden ser consumidores primarios (si se alimentan de algas y fitoplancton) o secundarios (si se alimentan de zooplancton)

descomponedores
los hongos y las bacterias se alimentan de restos y detritos de consumidores y productores, y los transforman en sales minerales que pueden ser utilizadas por las plantas

crustáceos
la mayoría son consumidores primarios, puesto que se alimentan de algas y fitoplancton. A su vez, ellos son presas de reptiles, peces y aves

zooplancton
necesitan tomar su alimento de otros organismos vegetales, por lo que son organismos microscópicos consumidores primarios

peces grandes
se alimentan de peces pequeños, ranas y de crustáceos. Son depredadores de 2º o 3er orden

LA VIDA EN LOS RÍOS Y LAS ZONAS HÚMEDAS

Un río no es únicamente el cauce por donde circula el agua; el concepto es mucho más amplio e incluye las riberas y los márgenes. En las aguas corrientes vive una gran variedad de organismos que constituyen sus comunidades animales y vegetales, las cuales utilizan y transforman incesantemente la energía que reciben. Pero la forma en que ésta llega a cada tramo es diferente; ello se traduce en la aparición de distintas comunidades con rasgos ecológicos particulares que nos permiten reconocer diversos sectores.

curso medio el río es más ancho y profundo en este tramo. Su fondo está cubierto de arena y grava, y el agua es más caliente y turbia

curso bajo aquí viven la mayoría de especies de peces (brema, tenca, leucisco, lucio, carpa, anguila, siluro, luvio…)

marisma en la zona llana de la desembocadura el agua del río no sigue un único curso y se inunda; esto da lugar a la formación de charcas con gran variedad biológica

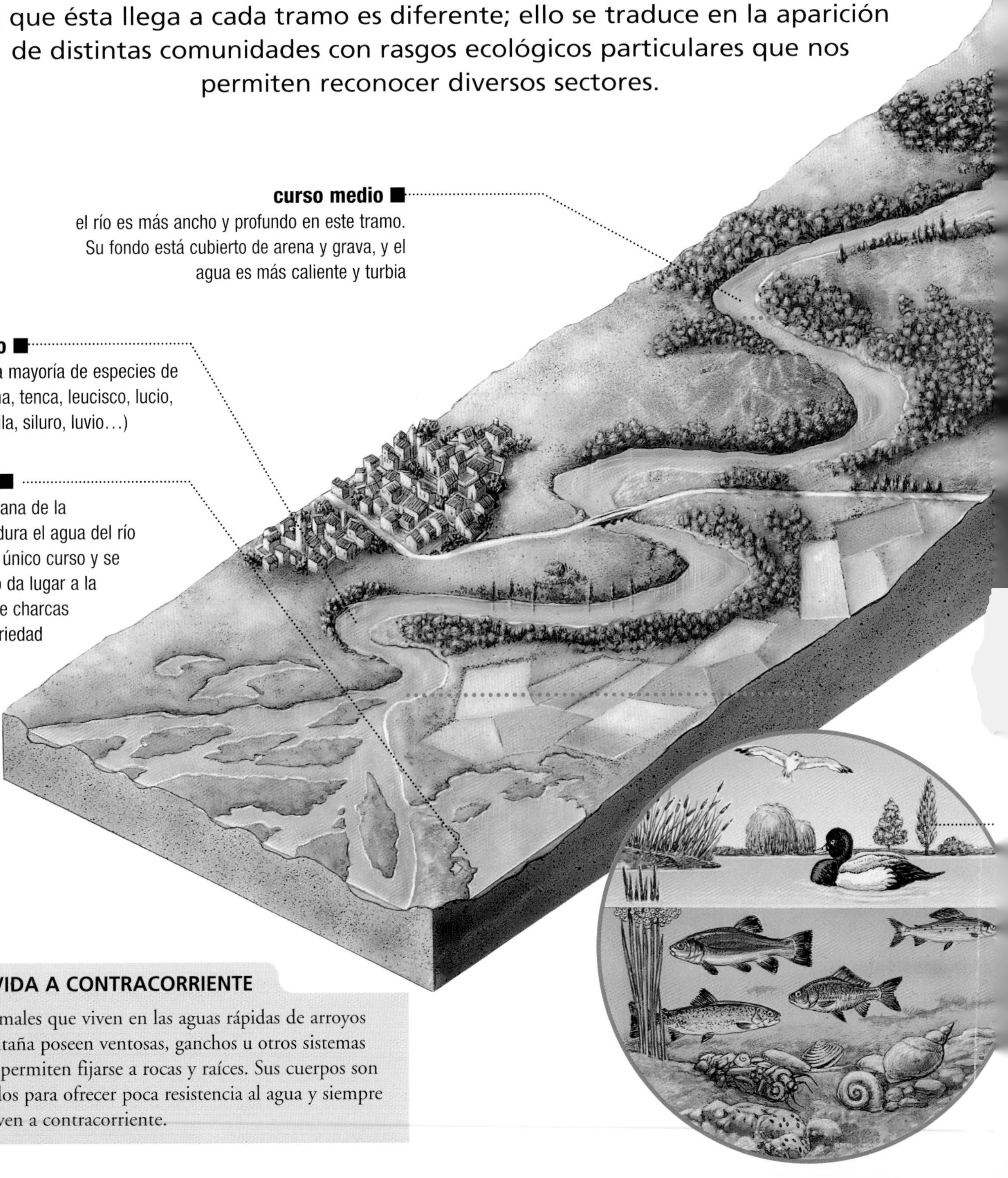

UNA VIDA A CONTRACORRIENTE

Los animales que viven en las aguas rápidas de arroyos de montaña poseen ventosas, ganchos u otros sistemas que les permiten fijarse a rocas y raíces. Sus cuerpos son aplanados para ofrecer poca resistencia al agua y siempre se mueven a contracorriente.

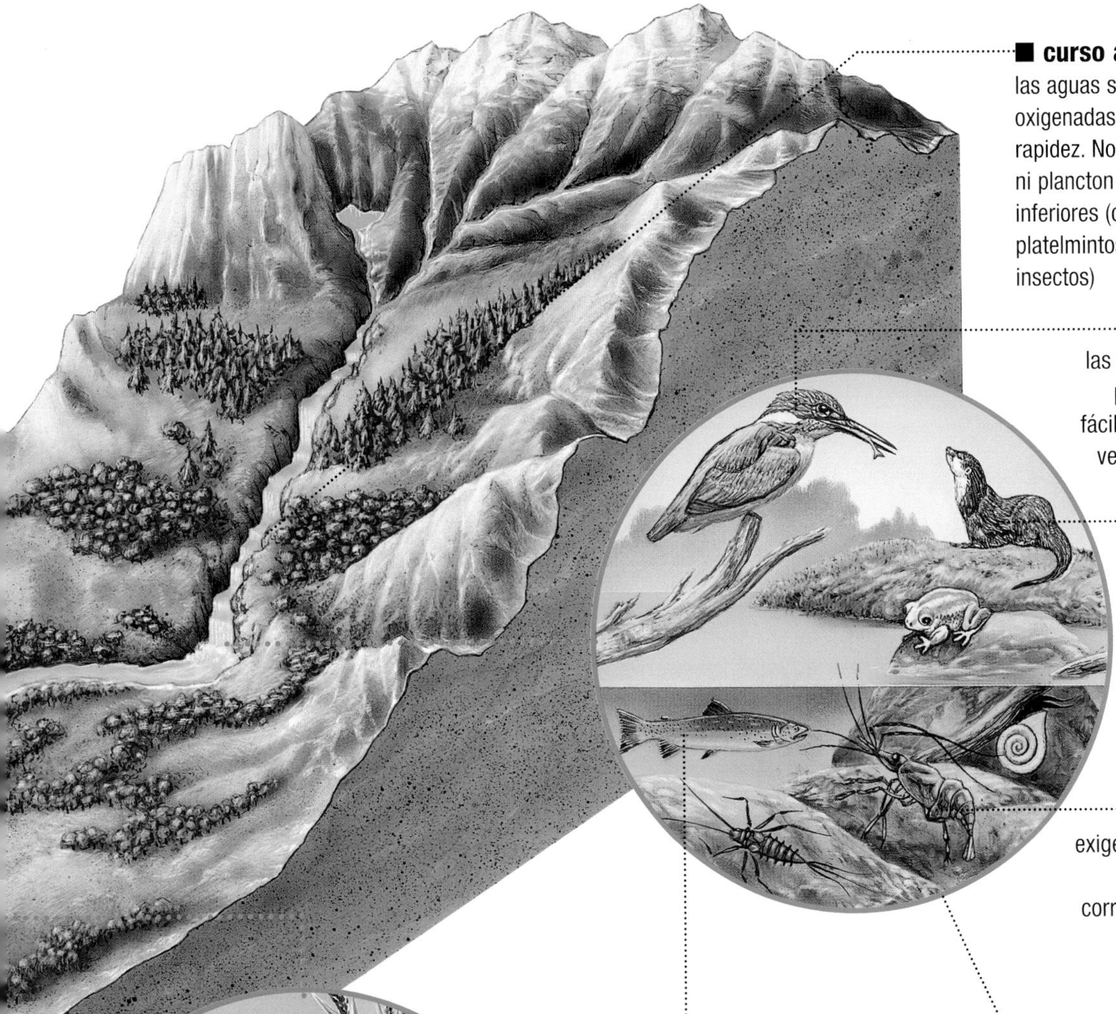

■ curso alto
las aguas son frías, oxigenadas y descienden con rapidez. No existe vegetación ni plancton pero sí animales inferiores (caracoles, platelmintos, larvas de insectos)

■ martín pescador
las pequeñas truchas y otros peces jóvenes son presas fáciles para este ave de color verde azulado y vientre rojo

■ nutria
su guarida tiene la entrada bajo el agua, pero el interior de su escondrijo está por encima. Se alimenta de peces, ranas, ratones, caracoles…

■ cangrejo de río
exige agua transparente y rica en oxígeno, pero evita las corrientes demasiado fuertes. Se alimenta de huevas, gusanos, larvas, ranas y plantas

■ truchas
tímalos, lochas, etc. Son especies voraces que se alimentan de insectos, larvas, pequeños crustáceos, caracoles y crías de peces

■ mirlo acuático
se sumerge y nada bajo el agua para capturar pequeños crustáceos, gusanos y larvas de insectos que habitan en el fondo

■ barbo
es el pez característico del tramo medio. Come invertebrados, larvas, moluscos, hojas y raíces de planta

■ vegetación de ribera
formada por especies adaptadas a la alta humedad: sauces, alisos, álamos, fresnos, juncos, carrizos, espadañas…

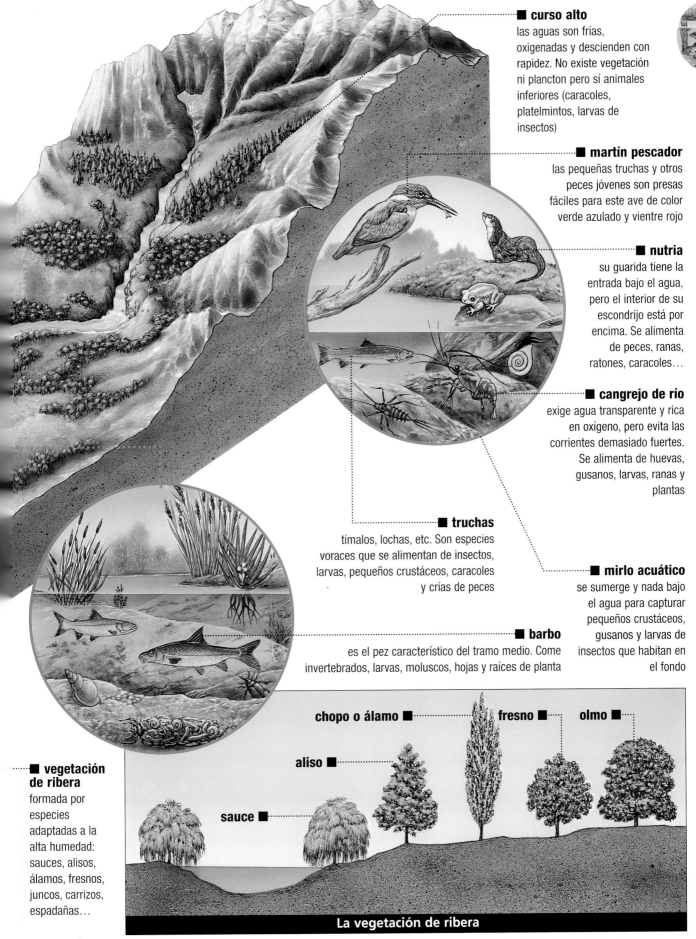

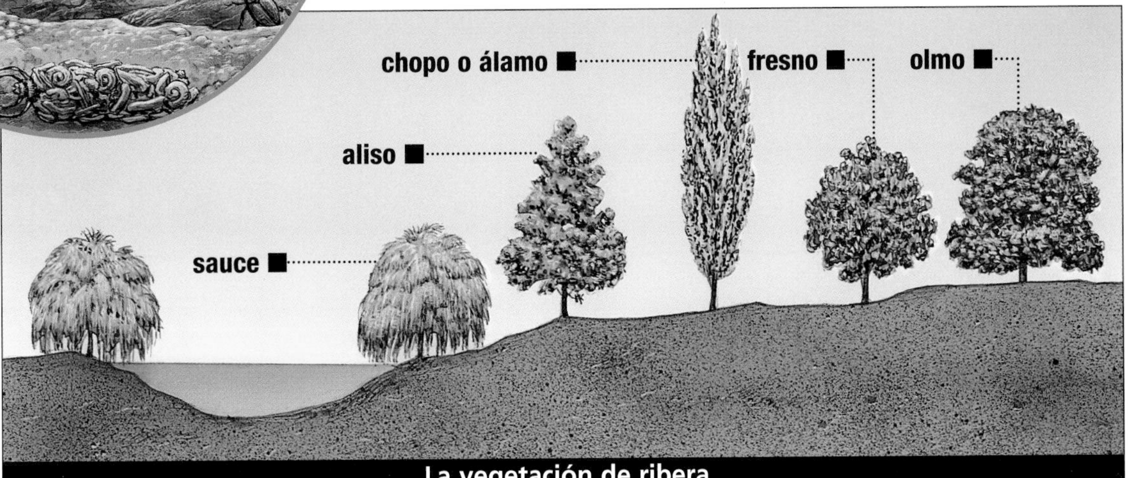

La vegetación de ribera

Se presenta desde el margen del cauce en bandas paralelas que tienen como principal factor condicionante la mayor o menor proximidad y altura respecto al cauce del río.

LA HABILIDAD PARA VIVIR SIN AGUA

Más del 14 por ciento de la superficie del planeta está ocupada por desiertos, situados principalmente en áreas próximas a los trópicos. En este bioma el factor limitante es el agua: las precipitaciones no llegan a los 250 mm por año, mientras que la temperatura media anual es de 30 °C. Los desiertos no son regiones muertas; todo lo contrario: después de una lluvia repentina, una superficie arenosa se puede poblar de plantas, flores y pequeños animales.

hiena junto con el chacal y el zorro es la gran depredadora del desierto. Es principalmente carroñera, pero también es capaz de cazar

lagartos unos cambian de color y tienen un caparazón afilado para defenderse, otros cambian de apariencia para verse más agresivos

dromedarios y camellos necesitan muy poca agua. Pueden soportar temperaturas muy altas sin sudar y almacenan grasa en sus jorobas para alimentarse posteriormente

langosta es una especie de saltamontes que viaja en gran número de un lugar a otro, comiéndose toda la vegetación que encuentra a su paso

vegetación es herbácea y de carácter xerófilo, es decir, adaptada a la sequedad del ambiente. Se halla muy dispersa y no siempre está presente

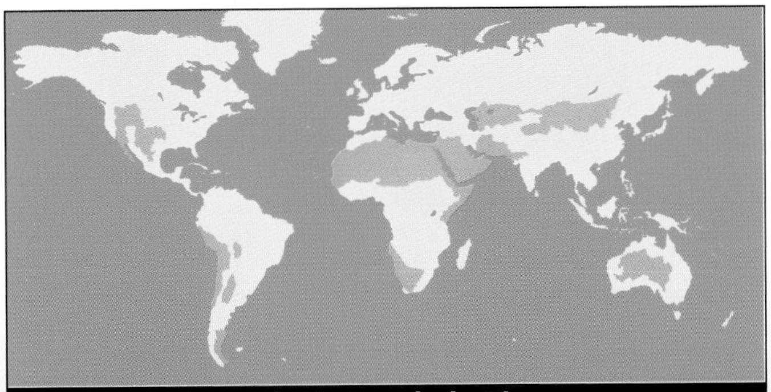

Los desiertos de la Tierra

EL SAHARA: EL MAYOR DESIERTO DEL MUNDO

Abarca unos 9.000.000 de km², en el norte de África. Registra las temperaturas máximas del planeta (hasta 58 °C), y tiene tres tipos de terreno: hamadas o mesetas rocosas, regs o desiertos de piedras, y ergs o desiertos de arena.

La mayor parte de los desiertos se encuentran en la zona de los trópicos, aunque también existen en zonas más templadas o frías, como el de Atacama en Chile o el de Gobi en Mongolia y China.

aves de rapiña ■ águilas, halcones, buitres, búhos, milanos y gavilanes suelen cazar al atardecer, cuando el calor no es tan intenso

■ serpientes soportan con facilidad las temperaturas más extremas porque pueden controlar la temperatura de su cuerpo

■ roedores hacen grandes huecos en el suelo y permanecen allí durante el calor del día. Por la noche suben a la superficie para alimentarse

oasis ■ es un manantial de agua potable junto al cual crecen palmeras, olivos y árboles frutales

escorpión ■ utiliza el veneno de su afilada cola para picar a sus predadores y presas. Son animales solitarios y lentos que buscan zonas oscuras y guarnecidas para vivir

LA SABANA, LA GRAN PRADERA AFRICANA

Existen diferentes tipos de pastizales que se denominan con nombres diversos: llanos, estepas, praderas, sabanas y pampas. Se forman en lugares en donde no cae suficiente agua de lluvia para que se desarrolle un bosque, pero en donde cae demasiada agua para que exista un desierto. Predomina la vegetación herbácea, aunque también hay árboles y arbustos dispersos. La sabana es la pradera propia de los trópicos, donde no hay invierno, pero con dos estaciones secas separadas por una estación lluviosa.

LAS ESTEPAS

Son los grandes pastizales del interior de los continentes de latitudes medias y clima seco. La fauna es abundantemente herbívora (bisontes, antílopes, caballos salvajes...), formando grandes manadas, además de lobos, coyotes, ardillas, perros de las praderas, crótalos y roedores.

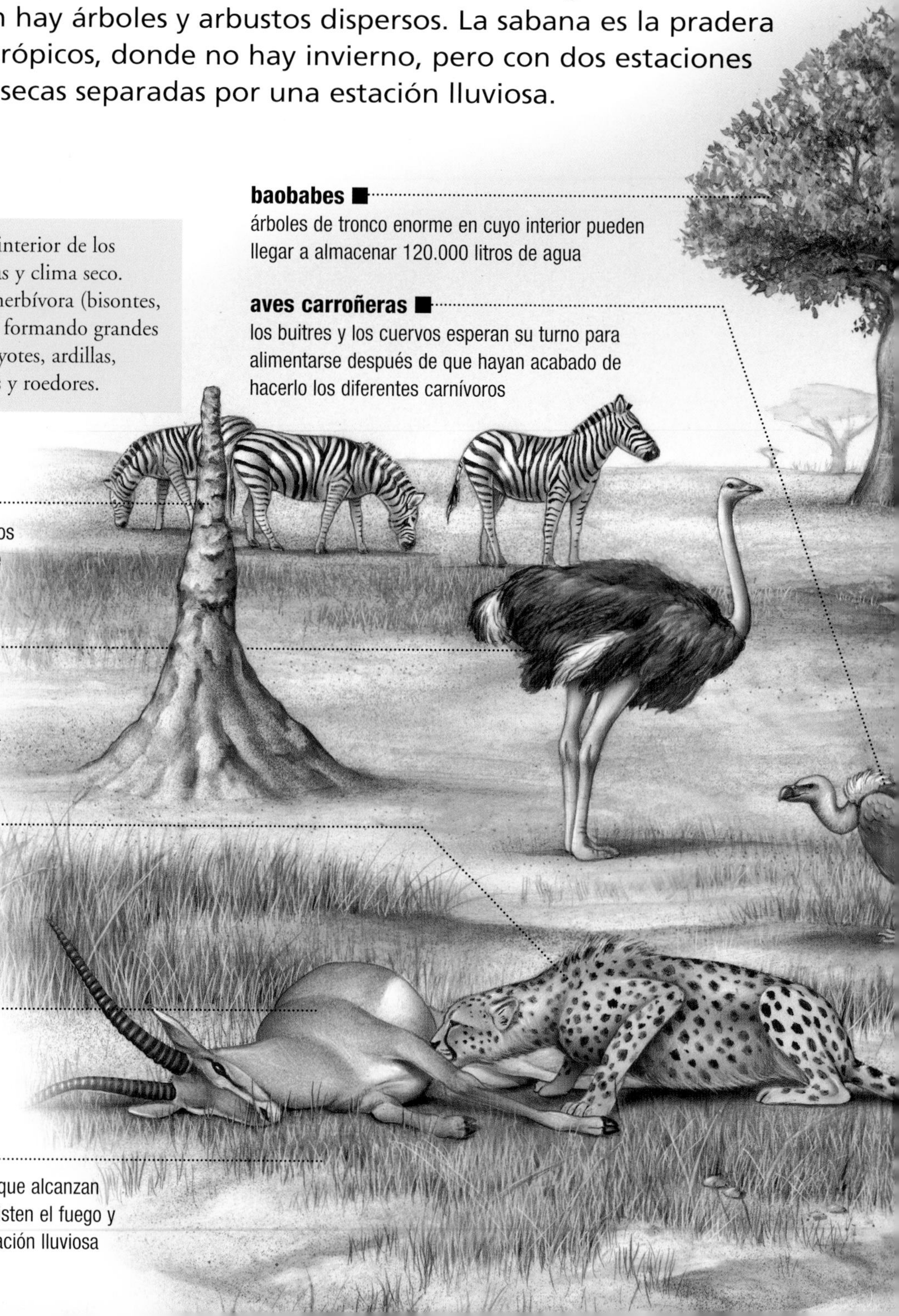

baobabes ■
árboles de tronco enorme en cuyo interior pueden llegar a almacenar 120.000 litros de agua

aves carroñeras ■
los buitres y los cuervos esperan su turno para alimentarse después de que hayan acabado de hacerlo los diferentes carnívoros

termitas ■
forman montículos muy característicos que pueden alcanzar los 8 metros de altura para 5 millones de habitantes

aves corredoras ■
como el avestruz, que con una altura de 2,5 metros y un peso de casi 160 kilogramos ostenta el título de la mayor ave de la Tierra

grandes carnívoros ■
son los cazadores de la sabana (leones, leopardos, guepardos, hienas, cocodrilos...). Se alimentan de la gran cantidad de herbívoros existentes

presas ■
son pequeños y medianos herbívoros como los ñus, gacelas, antílopes y cebras

hierbas ■
gramíneas de hojas gruesas y duras que alcanzan gran altura. Sus semillas y raíces resisten el fuego y vuelven a brotar con fuerza en la estación lluviosa

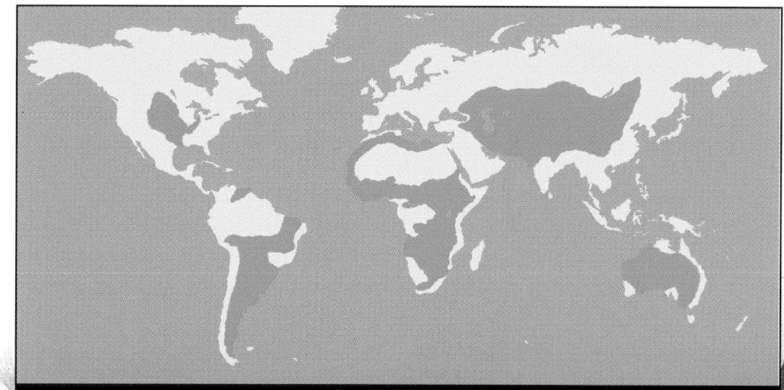
Las praderas de la Tierra

Ocupan extensas regiones del interior de los continentes. Todas las zonas tienen en común que en ellas predomina la vegetación herbácea, aunque suele haber también árboles y arbustos dispersos.

acacias son árboles de copas planas. Tienen espinas silíceas para disuadir a los herbívoros y no ser devoradas por ellos

incendios muy frecuentes en las estaciones secas. Por eso, sólo pueden colonizar la sabana aquellas especies vegetales resistentes al fuego

grandes herbívoros han prosperado debido a la enorme cantidad de vegetación herbácea producida en la época de lluvias (elefantes, jirafas, hipopótamos, búfalos…)

LA SELVA DEL AMAZONAS: EL PULMÓN DE LA TIERRA

Las selvas tropicales son los biomas más productivos de la Tierra y los de mayor biodiversidad. Se caracterizan por estar en zonas cuyo clima casi nunca cambia; siempre es caluroso, con temperaturas medias anuales de 25 °C, y muy húmedo, con abundantes precipitaciones de hasta 4.500 milímetros por año. La mayor selva tropical es la del Amazonas, que cubre una superficie de 7.000.000 km^2, a pesar de haberse talado en ella una superficie similar a la de Europa.

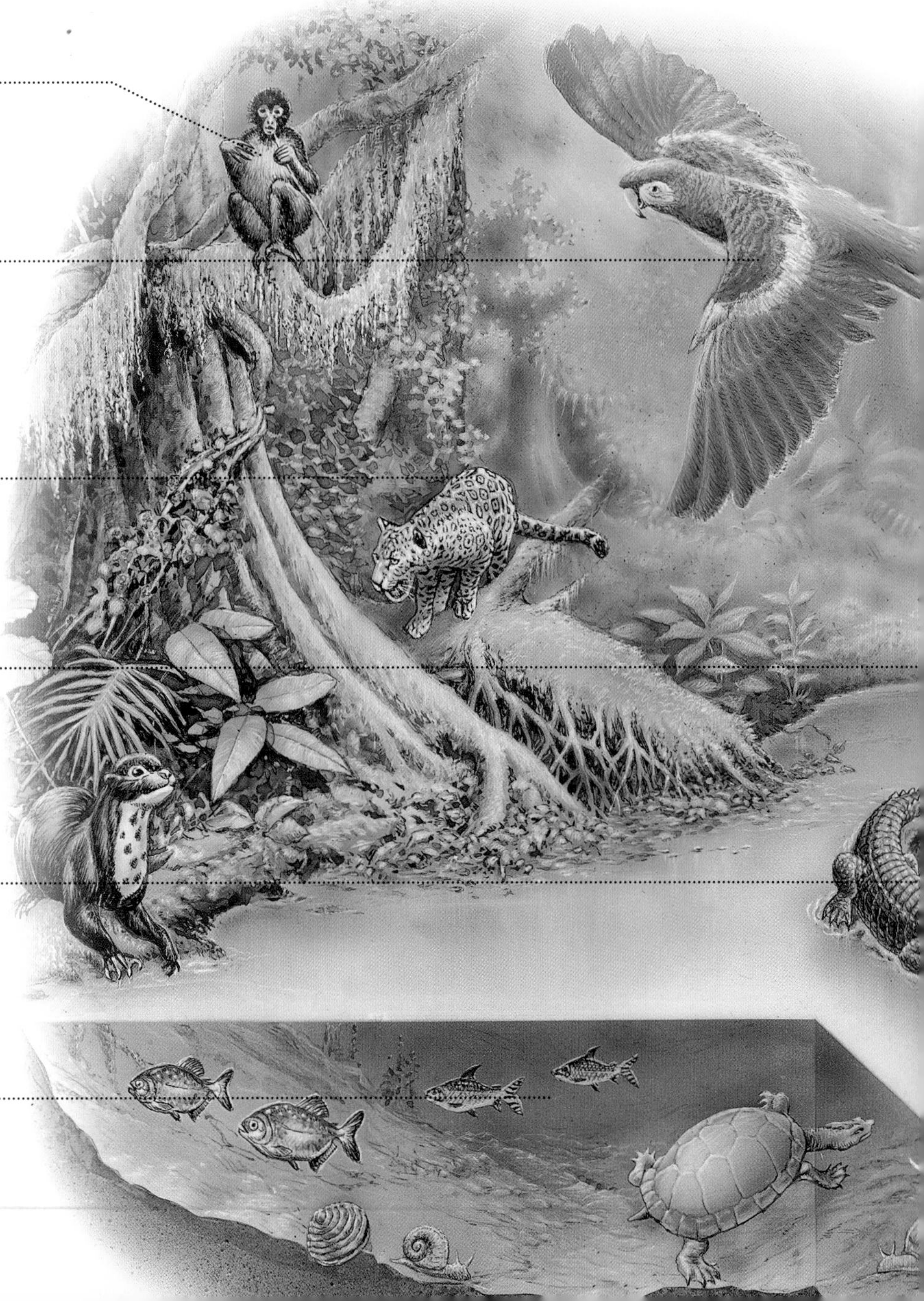

monos
especies como el mono nocturno, mono tití, mono capuchino, mono aullador, mono araña o mono lanudo viven en las partes altas de los árboles

loros
guacamayos, cotorras, cacatúas, pericos y tucanes. La mayor parte son de brillantes colores, aunque algunas especies tienen tonos grises, verdes o negros

felinos
jaguar, puma y pantera negra. Suelen cazar al amanecer y al anochecer, y comen tapires, ciervos, monos, perezosos y pequeños roedores

serpientes
como la boa o la anaconda. Son predadores de insectos, anfibios, peces, reptiles, aves, mamíferos, roedores, etc., y ayudan a mantener las poblaciones estables

el suelo
es sombrío y casi desnudo, aparte de una fina capa de hojas. La mayoría de las plantas que viven aquí son hongos, helechos o parásitos que necesitan poca luz para subsistir

los ríos
en ellos habitan distintas variedades de peces (algunos carnívoros como la piraña) y moluscos, el cocodrilo, la nutria, así como ranas, sapos y tortugas

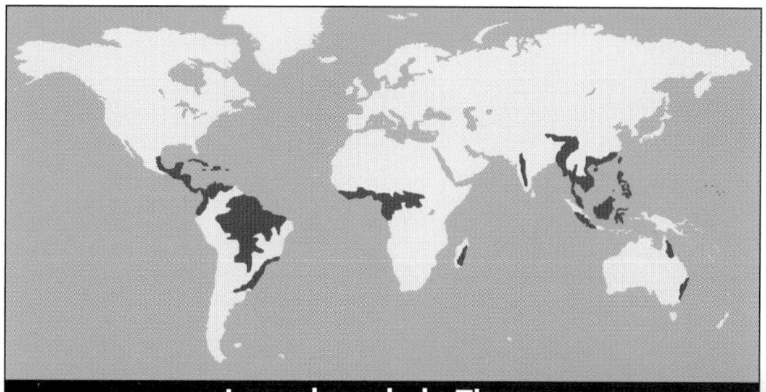

Las selvas de la Tierra

Se encuentran en América Central y del Sur, África Central, Malaysia e Indonesia. Todas son calurosas, pero al haber grandes diferencias de lluvias de unas a otras se forman bosques muy diferentes.

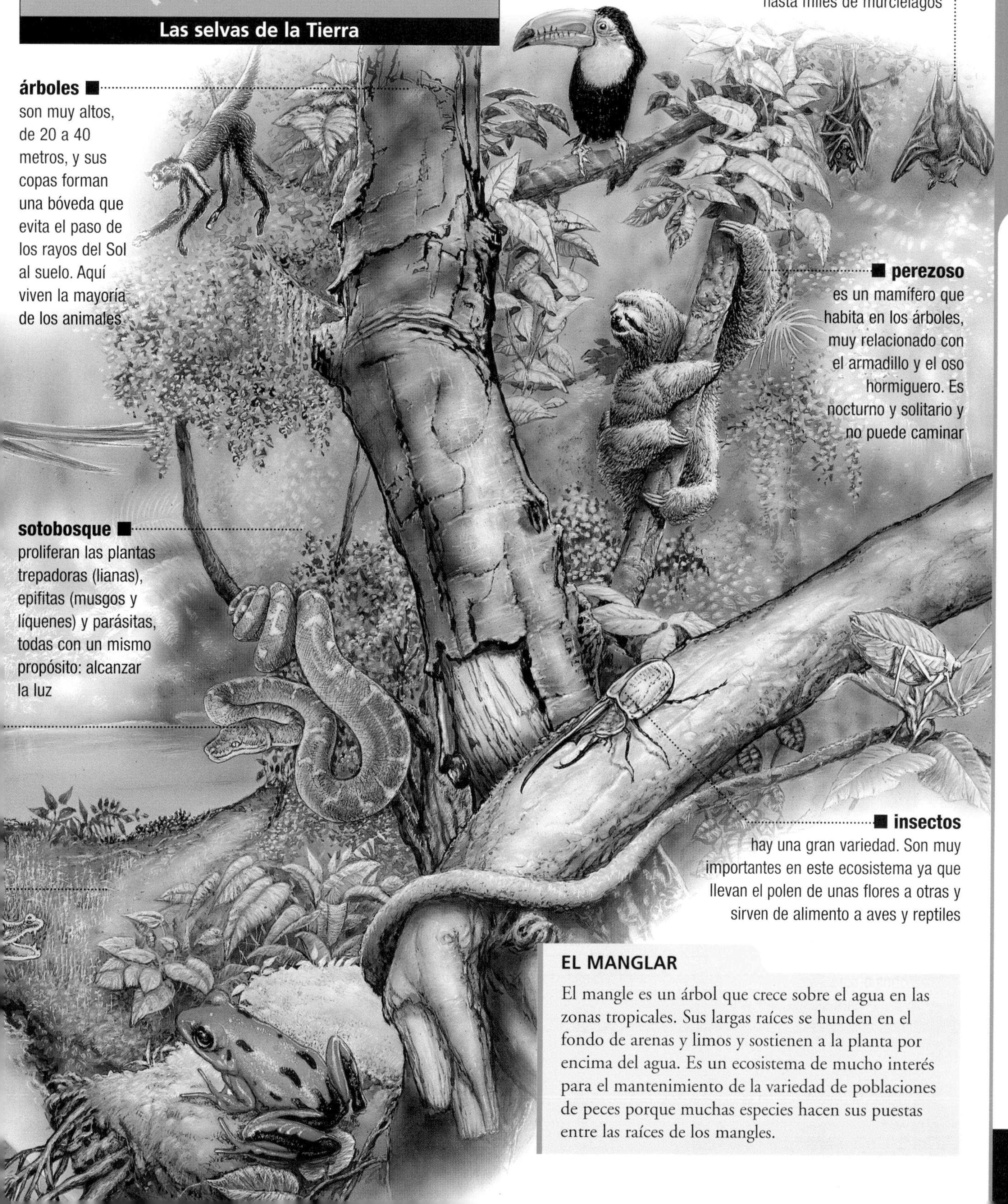

murciélagos y vampiros viven colgados de los árboles durante el día y cazan por la noche. En un solo árbol pueden llegar a verse cientos y hasta miles de murciélagos

árboles son muy altos, de 20 a 40 metros, y sus copas forman una bóveda que evita el paso de los rayos del Sol al suelo. Aquí viven la mayoría de los animales

perezoso es un mamífero que habita en los árboles, muy relacionado con el armadillo y el oso hormiguero. Es nocturno y solitario y no puede caminar

sotobosque proliferan las plantas trepadoras (lianas), epifitas (musgos y líquenes) y parásitas, todas con un mismo propósito: alcanzar la luz

insectos hay una gran variedad. Son muy importantes en este ecosistema ya que llevan el polen de unas flores a otras y sirven de alimento a aves y reptiles

EL MANGLAR

El mangle es un árbol que crece sobre el agua en las zonas tropicales. Sus largas raíces se hunden en el fondo de arenas y limos y sostienen a la planta por encima del agua. Es un ecosistema de mucho interés para el mantenimiento de la variedad de poblaciones de peces porque muchas especies hacen sus puestas entre las raíces de los mangles.

LA VIDA AL RITMO DE LAS CUATRO ESTACIONES

Se encuentran en climas que tienen cuatro estaciones bien marcadas, por lo que los animales y vegetales de estos bosques tienen que ser capaces de adaptarse a dietas diferentes en estaciones diferentes. Dentro de este bioma se distinguen tres formaciones: el bosque caducifolio (típico de regiones templadas de clima oceánico), el mediterráneo (en zonas de veranos secos y calurosos) y el de coníferas (típico de las áreas continentales de Europa, Asia y América del Norte).

EL BOSQUE MEDITERRÁNEO

Está formado por árboles de hoja perenne, pequeña y dura adaptados a unas condiciones climáticas caracterizadas por un largo verano, seco y caluroso, y suaves inviernos. Entre las especies que más abundan cabe citar encinas, alcornoques, pinos carrascos, pinos piñoneros, retamas y brezos.

estrato superior ■
es el hábitat de las ardillas y de muchas aves como el mosquitero, reyezuelo, gavilán, águila ratonera, autillo, la paloma torcal y la oropéndola

árboles altos ■
haya, roble, álamo, abedul, olmo, fresno, castaño, nogal y tilo son de hoja caduca. Las coníferas (pino, abeto...) son de hoja perenne

depredadores ■
como el zorro, lobo, tejón y la comadreja, que comen roedores y otros pequeños mamíferos

árboles de talla inferior ■
como el carpe, serbal, cerezo, peral y manzano silvestres. Sus semillas y frutos son el alimento de muchos animales

herbívoros ■
como el ciervo, corzo, oso, jabalí y pequeños roedores que consumen hierbas, frutos, raíces y bayas. Sólo los de tamaño pequeño tienen depredadores

estrato inferior ■
es el hábitat de aves como el carbonero, herrerillo, la lechuza y la paloma zurita

suelo ■
se encuentran hongos, bacterias, insectos, arañas, gusanos, caracoles... que se ocupan de descomponer las hojas caídas para convertirlas en humus

estrato herbáceo ■
aquí viven plantas adaptadas a condiciones de poca luz y también plantas parásitas, que al no poder realizar la fotosíntesis succionan el agua de los árboles

hojarasca ■
la descomposición de las hojas aporta sales minerales y materia orgánica, que fertilizan el suelo. La caída de hojas permite que los rayos solares alcancen el suelo en invierno

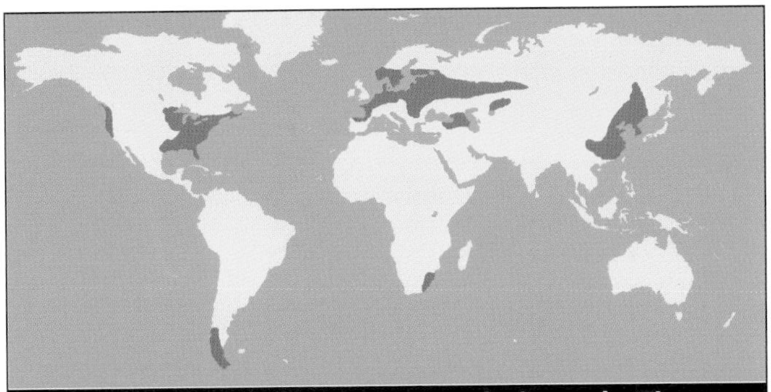

Distribución del bosque templado en la Tierra

Está situado en las áreas medias de latitud, entre las regiones polares y las zonas tropicales del hemisferio norte, en amplias extensiones de América, Europa y Asia.

estrato arbustivo ■
compuesto por avellanos, zarzamoras, frambuesas, saúcos, espinos blancos, ciruelos silvestres, rosales, brezos…

■ plantas trepadoras
hiedras, madreselvas y clemátides envuelven los troncos y trepan por ellos hasta alcanzar estratos mejor iluminados

DONDE EL PEZ GRANDE SE COME AL PEQUEÑO

Debido a la gran extensión de los mares se pueden distinguir en ellos varias zonas en las que habitan distintos seres vivos. No son zonas uniformes en todos los mares sino que en cada una de ellas factores como la cercanía a la costa, la profundidad, la luz, la temperatura y las corrientes determinarán las formas de vida presentes. La diversidad de formas no se distribuye por igual en todas las zonas, de manera que la mayor variedad la encontramos en las proximidades de las costas.

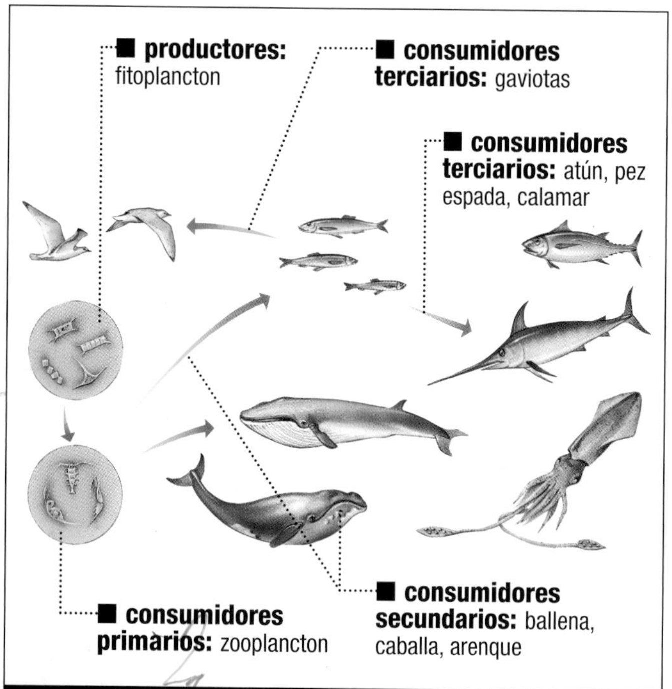

La cadena trófica del mar

El plancton constituye el principio de la cadena trófica en cuyo vértice final están los tiburones, atunes, delfines, cachalotes, etc., que se alimentan de los organismos más pequeños.

zona abisal
los organismos que viven en los fondos abisales poseen adaptaciones muy especiales a la oscuridad total y a las grandes presiones que deben soportar

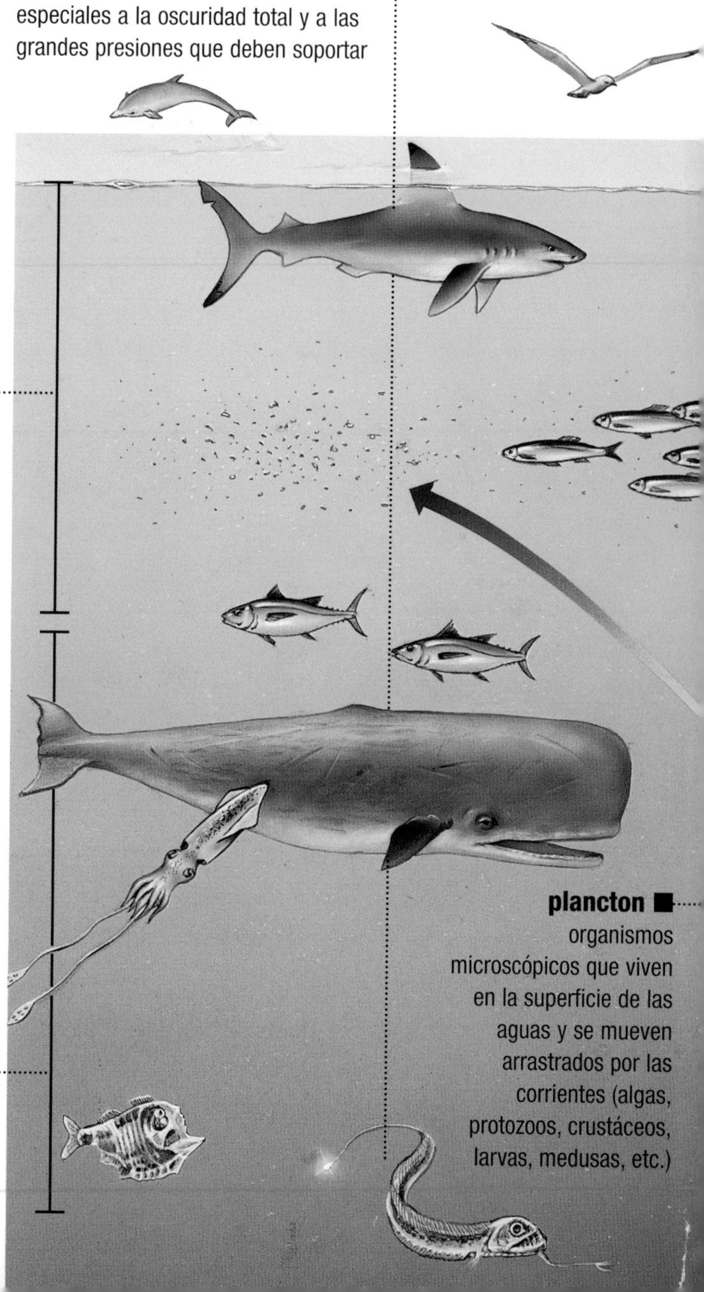

zona fótica
es la parte del mar que está iluminada y abarca las capas superiores del océano, hasta unos 250 metros, que es hasta donde penetra la luz

zona afótica
se extiende desde los 250 metros hasta el fondo del mar y en ella ya no penetra la luz. A pesar de ello en esta zona viven numerosas especies de bacterias, invertebrados y peces

plancton
organismos microscópicos que viven en la superficie de las aguas y se mueven arrastrados por las corrientes (algas, protozoos, crustáceos, larvas, medusas, etc.)

LA IMPORTANCIA DE LAS ALGAS MICROSCÓPICAS

Además de ser el alimento de una gran cantidad de animales marinos, estas algas microscópicas producen el 70 % del oxígeno que se libera en todo el mundo por la fotosíntesis de los seres autótrofos. Este hecho hace que sea imprescindible conservar y proteger el plancton.

bentos
u organismos bentónicos. Viven en el fondo oceánico, sujetos o apoyados en él (algas, anélidos, moluscos, corales, estrellas, crustáceos, peces de fondo, etc.)

necton
u organismos pelágicos. Viven en el mar abierto, sin relación con el fondo oceánico (medusas, calamares, peces, tortugas marinas, delfines, ballenas...)

zona pelágica
es la zona de aguas profundas. La mayor parte de los seres vivos habitan en la zona fótica (iluminada), entre la superficie y los 20-30 metros de profundidad

zona batial
ocupa la superficie del talud continental, está oscura y llega hasta los 4.000 metros

zona nerítica
corresponde a la plataforma continental. Es, pues, la zona cercana a la costa y como mucho puede tener 150 o 200 metros de profundidad

zona litoral
esta zona se ve afectada por la oscilación de las mareas. Aquí habitan organismos capaces de soportar el oleaje (algas, corales, crustáceos, moluscos…)

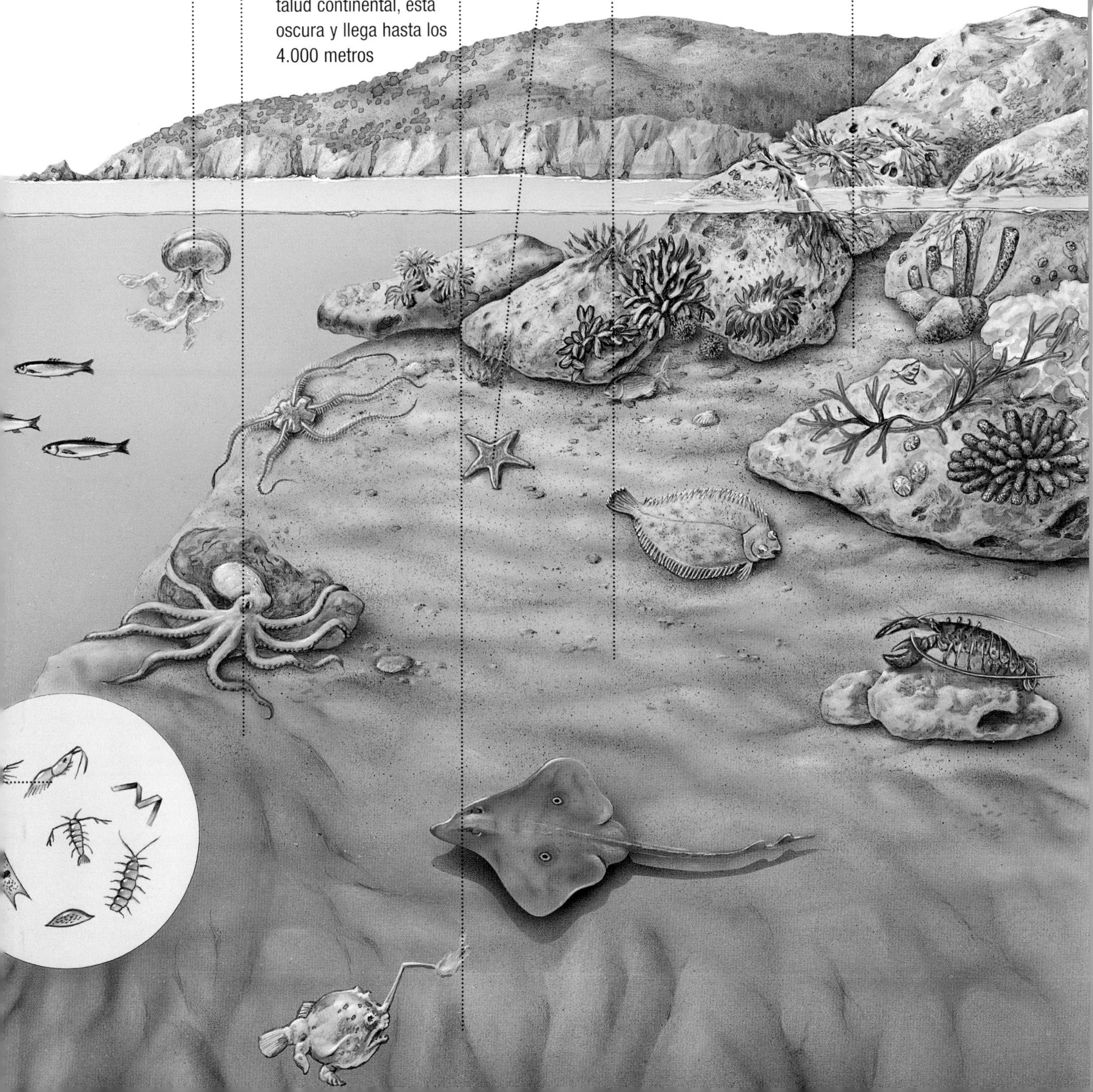

LA TUNDRA: LA VIDA EN EL LÍMITE DE LAS NIEVES PERPETUAS

La tundra es un ecosistema débil, con poca diversidad de especies y cadenas alimentarias muy sencillas. La dureza del clima no permite la existencia de árboles y el suelo está helado de manera permanente, excepto un breve deshielo superficial en los dos meses más calurosos. Las temperaturas medias oscilan entre -15 °C y 5 °C y las precipitaciones son escasas: unos 300 mm al año. En el ecosistema de tundra los factores limitantes son las bajas temperaturas y la escasez de agua.

mosquitos las zonas pantanosas son ideales para el desarrollo de los insectos, y en verano recubren la tundra gigantescas nubes de mosquitos

litoral aquí habitan focas, morsas y nutrias que devoran peces. Otros mamíferos marinos como las orcas comen focas y la ballena azul se alimenta de crustáceos pequeños (krill)

suelo es muy pobre y el manto vegetal es delgado. Está helado de manera permanente, excepto un breve deshielo superficial en los dos meses más calurosos

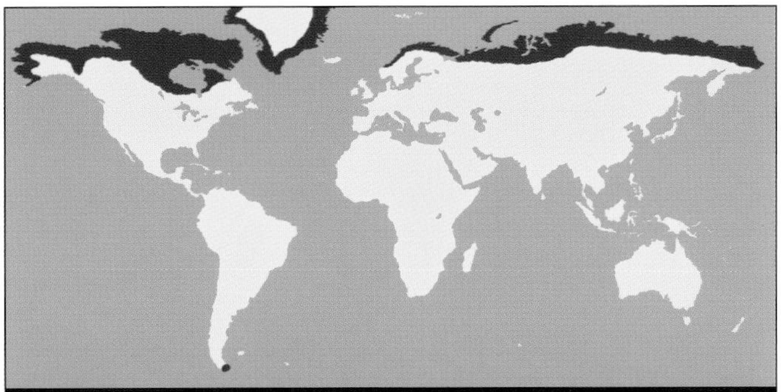

La tundra en el mundo

Se extiende por Siberia, Alaska y el Canadá ártico, principalmente al norte del Círculo Polar, así como por Tierra del Fuego

LA TAIGA

La taiga es el bosque que se desarrolla al sur de la tundra. En ella abundan las coníferas (píceas, abetos, alerces y pinos) que son árboles que soportan las condiciones de vida relativamente frías y extremas de esas latitudes y altitudes, mejor que los árboles caducifolios.

consumidores primarios
como el reno, caribú, buey almizclero, liebre ártica, ánsares, aves limícolas y el lemming (pequeño roedor que vive en galerías que excava en el suelo helado)

aves migratorias
grullas, ánsares, cisnes, aves limícolas… acuden aquí en verano desde todo el mundo y en pocas semanas se alimentan de insectos y semillas

vegetación
formada por líquenes, musgos, gramíneas y juncos. En pocas semanas, aprovechando el corto verano, germinan, se desarrollan y se reproducen

depredadores
halcón gerifalte, búho nival, zorro ártico, lobo, nutrias, visones, musarañas y el oso polar

charcas
y humedales que se forman en verano debido a que la capa inferior del suelo, al permanecer helada, es impermeable e impide que el agua se infiltre

LA CIUDAD: EL ECOSISTEMA HUMANO

La ciudad es el hábitat natural del hombre civilizado y funciona como un verdadero ecosistema. Se puede decir que tiene una parte biótica (jardines, parques y humanos, principalmente) y una parte abiótica (calles, edificios, alcantarillado, alumbrado...). Como los ecosistemas naturales, en los ecosistemas urbanos podemos hablar de un flujo de nutrientes y de un flujo de energía, aunque a diferencia de ellos apenas hay producción primaria y la energía consumida no es de origen solar sino fósil.

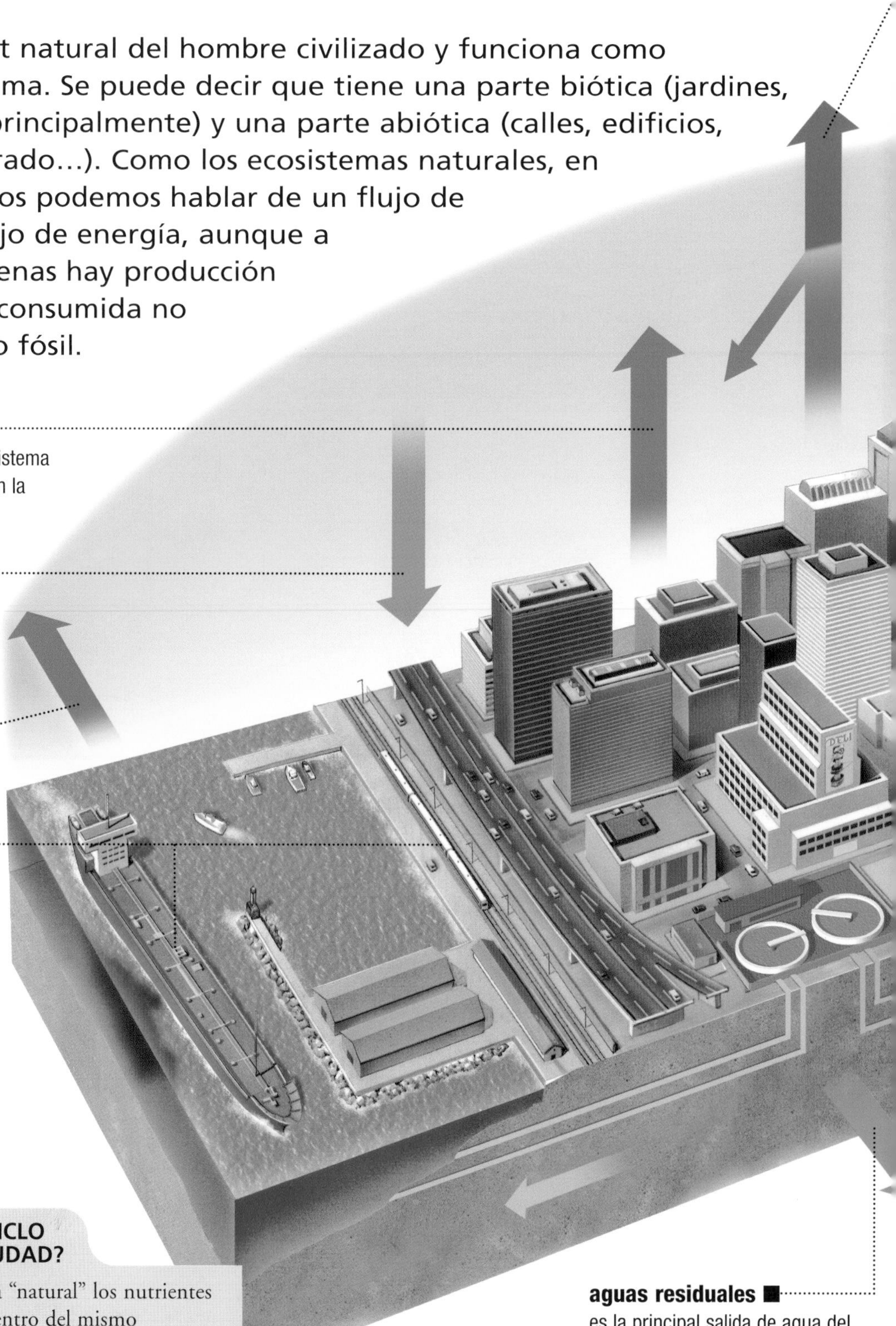

ruido ■
constituye una salida energética del sistema y procede de las actividades diarias en la ciudad (tráfico, industria, obras...)

importación de productos elaborados ■
y materias primas que entran en la ciudad procedentes de otros sitios, transportados por carretera, tren, barco o avión

exportación ■

exportación ■
de materiales elaborados en la ciudad a partir de materias primas importadas de otros ecosistemas

aguas residuales ■
es la principal salida de agua del sistema. Proceden de las casas y de las industrias y son conducidas a las depuradoras para ser vertidas posteriormente al mar o al río

¿PODEMOS HABLAR DE CICLO DE NUTRIENTES EN LA CIUDAD?

Mientras que en un ecosistema "natural" los nutrientes son reciclados en gran parte dentro del mismo ecosistema formando un ciclo, en una ciudad los nutrientes no son reciclados y por ello se tendría que hablar de flujo de nutrientes y no de ciclo.

radiación térmica
parte de la energía consumida en la ciudad es devuelta al medio en forma de calor procedente de las calefacciones, máquinas, iluminación...

lluvia
es una entrada de agua al sistema que sólo es aprovechada por los árboles y plantas de los jardines. El resto cae sobre el asfalto y se drena a través del alcantarillado

alimentos
los nutrientes de los que dispone la ciudad se encuentran en forma de alimentos en las áreas rurales circundantes

radiación solar
no es la principal fuente de energía de la ciudad, pero es indispensable para la vida en ella

evapotranspiración
constituye una salida de agua del ecosistema producida por la respiración de los seres vivos y por la evaporación del agua de lluvia

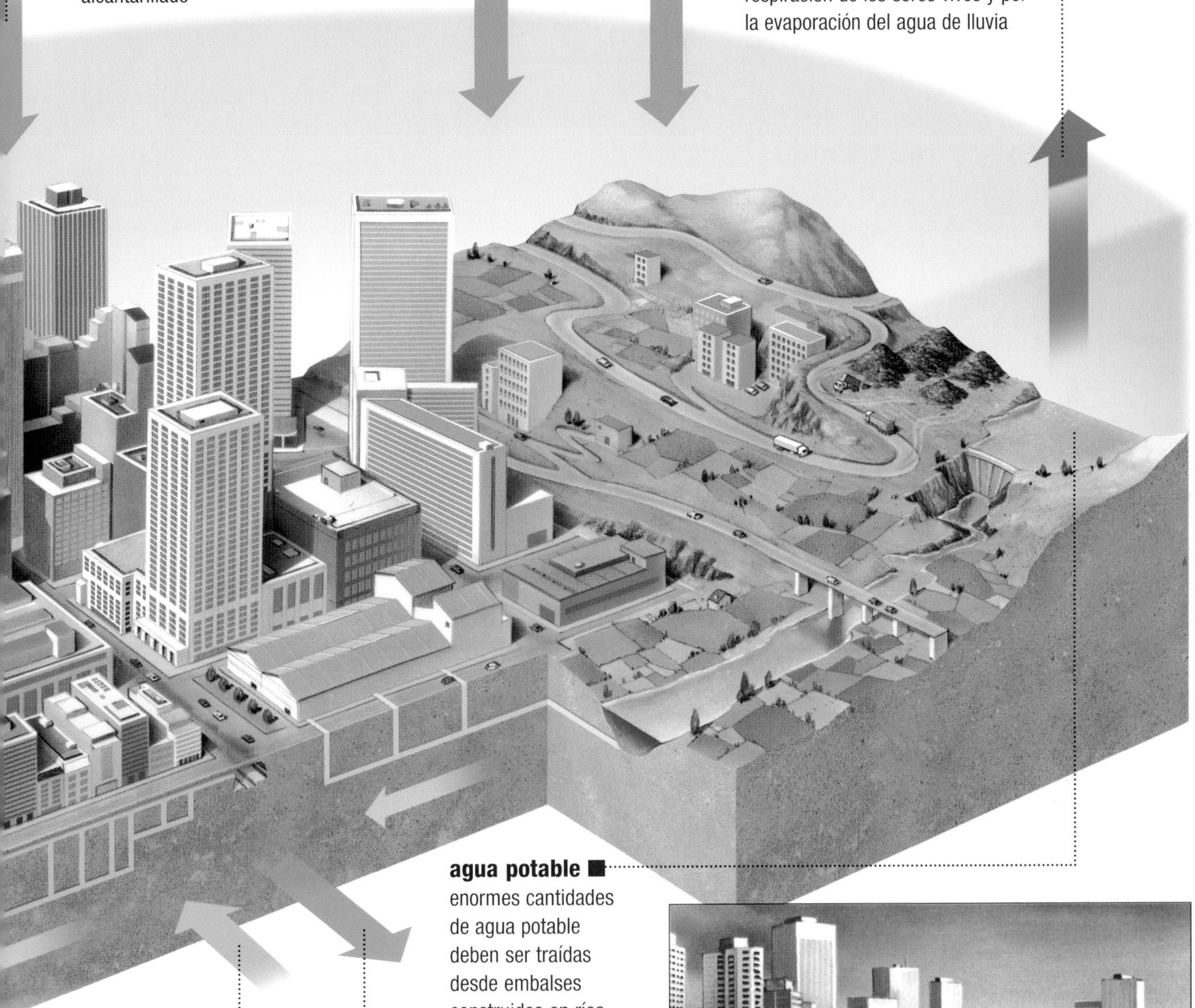

agua potable
enormes cantidades de agua potable deben ser traídas desde embalses construidos en ríos próximos para abastecer la ciudad

importación de energía
al contrario que en los sistemas naturales, la energía consumida en la ciudad no es de origen solar sino fósil (gasolina, gasoil, gas natural…)

residuos sólidos
constituyen la principal salida de materia del sistema. Son recogidos para ser reciclados o depositados en vertederos fuera de la ciudad

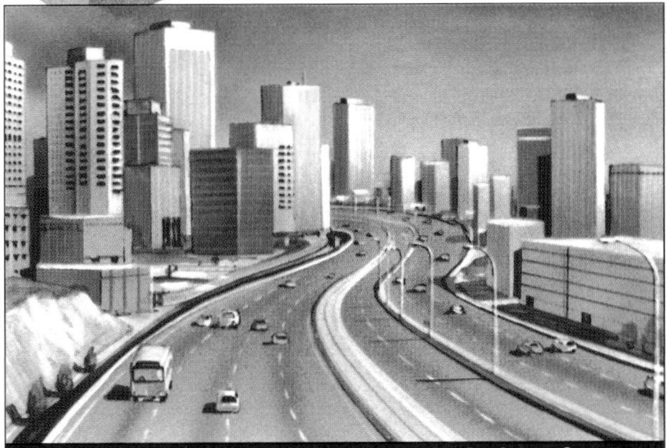

Los nuevos componentes de la biosfera

El cemento y el hormigón han tenido una repercusión enorme por lo que se refiere a la modificación humana de zonas, a menudo grandes e importantes, de los biomas naturales.

UN PLANETA HERIDO

La acción del hombre sobre el planeta ha sido tan notable, en especial en el último siglo, que se puede afirmar que no existe ecosistema que no esté afectado por su actividad. Desde hace milenios el ser humano ha explotado y modificado la naturaleza para subsistir, pero en los últimos decenios además ha producido miles de sustancias nuevas que se han difundido por toda la atmósfera, la hidrosfera, los suelos y la biosfera.

erosión y desertificación
al destruirse la cubierta vegetal como consecuencia de las actividades humanas (deforestación, pastoreo, incendios...), el suelo se erosiona y desaparece

contaminación del suelo
los insecticidas, herbicidas, fungicidas y fertilizantes utilizados en la agricultura añaden enormes cantidades de productos químicos nocivos a la tierra

deforestación
provocada por la tala indiscriminada de árboles para destinar tierras al cultivo y al pastoreo y por incendios provocados por los hombres

efecto invernadero
la acumulación de CO_2 y vapor de agua en la atmósfera por el uso de combustibles fósiles está provocando un aumento de la temperatura

obtención de energía y materias primas
trae consigo carreteras, grandes movimientos de tierra y producción de sustancias tóxicas, además de la destrucción del medio donde se obtienen

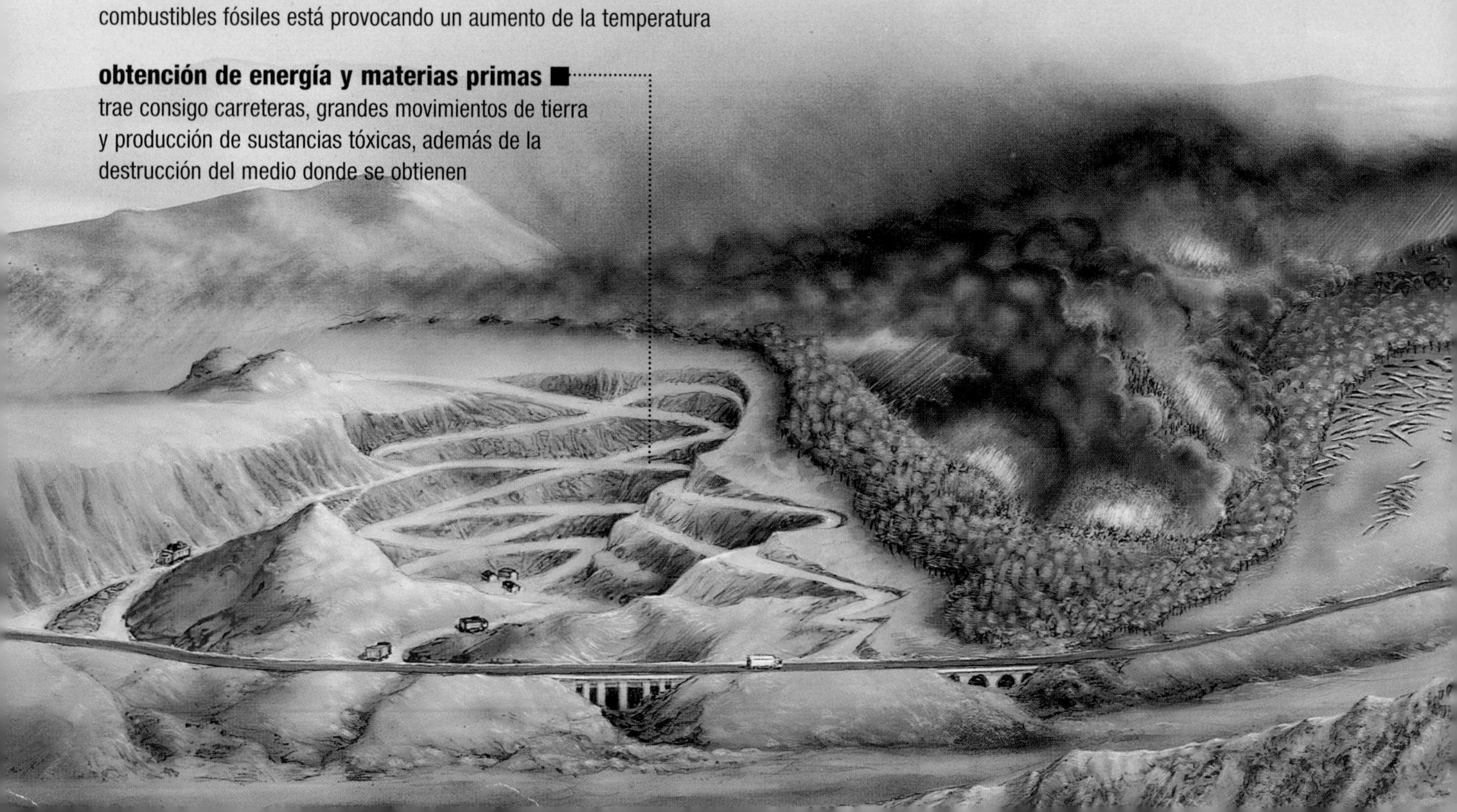

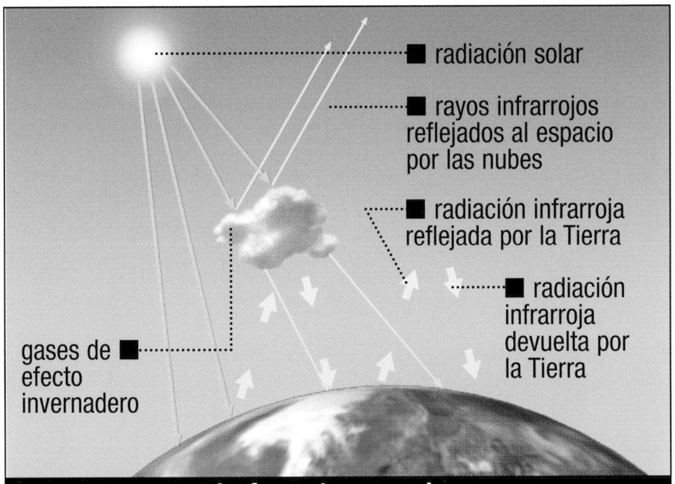

El efecto invernadero

Una parte de las radiaciones solares que llega a la Tierra son reflejadas en forma de radiación infrarroja. Ésta es absorbida por los gases invernadero y devuelta de nuevo a la superficie, con lo que se produce un incremento de la temperatura superficial.

LA CUMBRE DE RÍO DE JANEIRO

Se llama así a la conferencia de la ONU para el Medio Ambiente y Desarrollo que reunió en 1992 a 103 jefes de estado y de gobierno para tratar de los grandes problemas a los que se ha de enfrentar la Humanidad en el siglo XXI: el desarrollo de los países del Tercer Mundo y el deterioro del medio ambiente global.

la lluvia ácida
favorecida por el aumento de CO_2 y óxidos de azufre en la atmósfera, rompe el equilibrio de los ecosistemas al variar el pH (acidez) del medio

aguas residuales
los vertidos de aguas residuales agrícolas, industriales y urbanas han contaminado la mayor parte de los ríos, lagos y mares del mundo

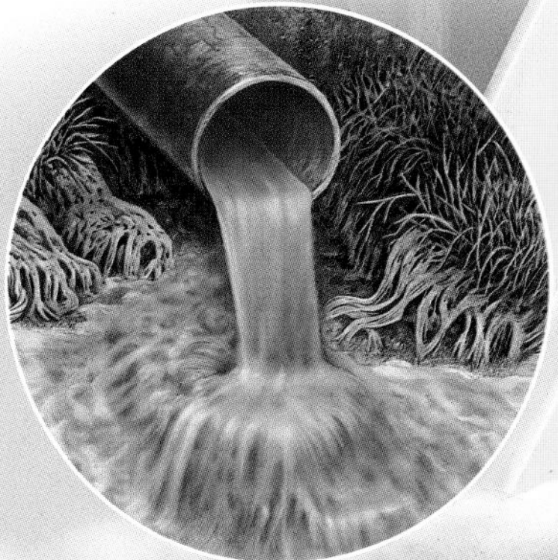

destrucción de la capa de ozono
permite que las radiaciones solares ultravioletas lleguen a la superficie de la Tierra, lo que provoca efectos nefastos en los ecosistemas

residuos sólidos
procedentes de las ciudades y de la industria. Contienen productos químicos peligrosos para la naturaleza y para las personas

emisiones de gases
la combustión de hidrocarburos en las actividades industriales y en la utilización de vehículos producen gases y humos nocivos

ESPECIES EN PELIGRO DE EXTINCIÓN

Una especie en "peligro de extinción" es aquella que se encuentre en peligro de desaparecer en la totalidad o en una parte significativa de su territorio, y una especie "amenazada" es aquella que en el futuro inmediato puede estar en peligro de extinción.

Más de 12.000 especies están amenazadas en el mundo, según la Lista Roja de la Unión Mundial por la Naturaleza (UICN), publicada en Gland (Suiza) en el año 2003 y 47 especies de flora o fauna desaparecen de nuestro planeta cada día. La UICN indica asimismo que 762 especies de plantas y animales se han extinguido desde el año 1500, a lo que hay que añadir 58 especies que viven únicamente en cultivos o en cautiverio.

La extinción es, en realidad, un proceso normal en el curso de la evolución. A lo largo de la historia de la evolución, millones de especies han desaparecido debido a procesos naturales. Su lenta desaparición fue consecuencia de cambios climáticos y de la incapacidad para adaptarse a situaciones como la competitividad y depredación. En los últimos 300 años, sin embargo, los humanos han multiplicado la tasa de extinción por mil. Según diversos científicos, actualmente nos encontramos en la sexta gran extinción masiva, siendo la primera provocada por nuestra especie, la cual será sin duda una de las afectadas por sus consecuencias. Ya se vaticina que si continúa esta situación, en el año 2050 habremos extinguido más de un tercio de las especies existentes en el planeta, y tal vez la mitad de ellas para el 2100.

Las causas principales de la extinción de las especies, o su puesta en peligro, son: la destrucción de los hábitats (construcción de grandes obras públicas, incendios y talas de bosques, desecación de lagos y zonas húmedas), explotación comercial (recogida de plantas, cacería y comercio de animales), daños causados por plantas y animales no autóctonos introducidos en un área, y la contaminación ambiental (emisión de gases a la atmósfera y vertidos de residuos sólidos y líquidos a ríos, lagos, mares, acuíferos y suelos). De todas estas causas, la destrucción directa del hábitat es la que pone en peligro a mayor número de especies.

EL FUTURO DEL PLANETA:

HACIA UN DESARROLLO SOSTENIBLE

El sistema económico actual basado en la máxima producción, el consumo, la explotación ilimitada de recursos y el beneficio como único criterio de la buena marcha económica ha deteriorado nuestro medio ambiente hasta un límite alarmante. Las consecuencias ecológicas de este comportamiento (desaparición de la capa de ozono, cambio climático, degradación del suelo, deforestación, pérdida de biodiversidad y contaminación del aire, agua y tierra) amenazan nuestro futuro común y lo hacen insostenible.

Nuestro planeta no puede suministrar indefinidamente los recursos que esta explotación exige. Por esto se ha impuesto la idea de que es necesario ir a un desarrollo real, que permita la mejora de las condiciones de vida, pero compatible a la vez con una explotación racional de los recursos del planeta. Es el llamado desarrollo sostenible.

La Comisión Mundial sobre Ambiente y Desarrollo definió en 1987 Desarrollo Sostenible como: «el desarrollo que asegura las necesidades del presente sin comprometer la capacidad de las futuras generaciones para enfrentarse a sus propias necesidades».

Según este planteamiento el desarrollo sostenible tiene que conseguir a la vez:

■ Satisfacer las necesidades del presente, fomentando una actividad económica que suministre los bienes necesarios a toda la población mundial.
■ Satisfacer las necesidades del futuro, reduciendo al mínimo los efectos negativos de la actividad económica, tanto en el consumo de recursos como en la generación de residuos, de tal forma que sean soportables por las próximas generaciones. Cuando nuestra actuación suponga costos futuros inevitables (por ejemplo, la explotación de minerales no renovables), se deben buscar formas de compensar totalmente el efecto negativo que se está produciendo (por ejemplo a partir de nuevas tecnologías que sustituyan el recurso gastado).

Para alcanzar estos objetivos la sociedad debe realizar las siguientes actuaciones:

■ Mejorar el sistema de gestión ambiental de las empresas con el desarrollo e implantación de tecnologías limpias.
■ Ordenar eficientemente el territorio y las actividades que se desarrollan.
■ Distribuir de manera equitativa los bienes, servicios y oportunidades entre la población.
■ Optimizar la gestión y la utilización de los recursos.
■ Promover el máximo de reciclaje, la reutilización y la reducción de residuos.
■ Restaurar los ecosistemas dañados.
■ Promover la autosuficiencia regional (utilizar al máximo los recursos de la zona para reducir el gasto de energía en el transporte y la contaminación que ello provoca).
■ Reconocer la importancia de la naturaleza para el bienestar humano.

WITHDRAWN
May be sold for the benefit of
The Branch Libraries of The New York Public Library
or donated to other